La Collection "Escrivac"

LE SILENCE DE LA MER

Other titles in "La Collection Escrivac"

La Collection 'Escrivac'

LE SILENCE
DE LA MER

BY

VERCORS

EDITED
WITH NOTES AND VOCABULARY
BY
THOMAS MARK

Nelson

Thomas Nelson and Sons Ltd
Nelson House Mayfield Road
Walton-on-Thames Surrey
KT12 5PL UK

Nelson Blackie
Wester Cleddens Road
Bishopbriggs
Glasgow G64 2NZ UK

Thomas Nelson Australia
102 Dodds Street
South Melbourne
Victoria 3205 Australia

Nelson Canada
1120 Birchmount Road
Scarborough Ontario
M1K 5G4 Canada

I(T)P Thomas Nelson is an International
        Thomson Publishing Company

I(T)P is used under licence

First published by Macmillan Education Ltd 1944
ISBN 0-333-050479

This edition published byThomas Nelson and Sons Ltd 1992
ISBN 0-17-439749-6
NPN 9 8 7 6 5 4

Printed in Singapore

PREFACE

THE first edition of *Le Silence de la mer* was produced in Paris early in 1942 by an underground organisation calling itself *Les Editions de minuit*, which had come into being to publish the works of those French writers who were denied every other means of self-expression under the German occupation.

All the people connected with this organisation did their part in the publication and circulation of this story, and of other works that reached them by the same secret and dangerous route, at the risk of their lives. The author; the patriot who supplied the money, the machines, and, even more surprisingly, the paper; the compositors and the women who sewed the sheets together to make a book, with the enemy police and soldiers tramping past above them—all of them knew that their lives were forfeit if their activities were discovered.

They accepted such risks as part of the work of the movement of resistance, as part of the effort to break the dreadful silence under which France had lain submerged ever since her occupation by the enemy. In the case of *Le Silence de la mer* they had also the satisfaction of adding to their country's literature one of its shorter masterpieces. The pseudonym of " Vercors ", the name of one of the chief centres of armed French resistance, covered the identity of Jean Bruller, a well-known book illustrator, still in his early thirties, who played a leading part in the organisation and activities of *Les Editions de minuit*.

A la mémoire de SAINT-POL-ROUX,
Poète assassiné.

I

Il fut précédé par un grand déploiement d'appareil militaire. D'abord deux troufions, tous deux très blonds, l'un dégingandé et maigre, l'autre carré, aux mains de carrier. Ils regardèrent la maison, sans entrer. Plus tard vint un sous-officier. Le troufion déguingandé l'accompagnait. Ils me parlèrent, dans ce qu'ils supposaient être du français. Je ne comprenais pas un mot. Pourtant je leur montrai les chambres libres. Ils parurent contents.

Le lendemain matin, un torpédo militaire, gris et énorme, pénétra dans le jardin. Le chauffeur et un jeune soldat mince, blond et souriant, en extirpèrent deux caisses, et un gros ballot entouré de toile grise. Ils montèrent le tout dans la chambre la plus vaste. Le torpédo repartit, et quelques heures plus tard j'entendis une cavalcade. Trois cavaliers apparurent. L'un d'eux mit pied à terre et s'en fut visiter le vieux bâtiment de pierre. Il revint, et tous, hommes et chevaux, entrèrent dans la grange qui me sert d'atelier. Je vis plus tard qu'ils avaient enfoncé le valet de mon établi entre deux pierres, dans un trou du mur, attaché une corde au valet, et les chevaux à la corde.

Pendant deux jours il ne se passa plus rien. Je ne vis plus personne. Les cavaliers sortaient de bonne heure avec leurs chevaux, ils les ramenaient le soir, et eux-mêmes couchaient dans la paille dont ils avaient garni la soupente.

Puis, le matin du troisième jour, le grand torpédo revint. Le jeune homme souriant chargea une cantine spacieuse sur son épaule et la porta dans la chambre. Il prit ensuite son sac qu'il déposa dans la chambre voisine. Il descendit et, s'adressant à ma nièce dans un français correct, demanda des draps.

II

Ce fut ma nièce qui alla ouvrir quand on frappa.
Elle venait de me servir mon café, comme chaque
soir (le café me fait dormir). J'étais assis au fond de
la pièce, relativement dans l'ombre. La porte donne
sur le jardin, de plain pied. Tout le long de la
maison court un trottoir de carreaux rouges très
commode quand il pleut. Nous entendîmes marcher,
le bruit des talons sur le carreau. Ma nièce me regarda et posa sa tasse. Je gardai la mienne dans
mes mains.

Il faisait nuit, pas très froid : ce novembre-là ne
fut pas très froid. Je vis l'immense silhouette, la
casquette plate, l'imperméable jeté sur les épaules
comme une cape.

Ma nièce avait ouvert la porte et restait silencieuse.
Elle avait rabattu la porte sur le mur, elle se tenait
elle-même contre le mur, sans rien regarder. Moi
je buvais mon café, à petits coups.

L'officier, à la porte, dit : " S'il vous plaît ". Sa
tête fit un petit salut. Il sembla mesurer le silence.
Puis il entra.

La cape glissa sur son avant-bras, il salua mili-
tairement et se découvrit. Il se tourna vers ma

9

nièce, sourit discrètement en inclinant très légèrement le buste.   Puis il me fit face et m'adressa une
révérence plus grave.   Il dit : " Je me nomme
Werner von Ebrennac ".   J'eus le temps de penser,
très vite : " Le nom n'est pas allemand.   Descen-
dant d'émigré protestant? "   Il ajouta : " Je suis
désolé ".

Le dernier mot, prononcé en traînant, tomba dans
le silence.   Ma nièce avait fermé la porte et restait
adossée au mur, regardant droit devant elle.   Je ne
m'étais pas levé.   Je déposai lentement ma tasse vide
sur l'harmonium et croisai mes mains et attendis.

L'officier reprit : " Cela était naturellement néces-
saire.   J'eusse évité si cela était possible.   Je pense
mon ordonnance fera tout pour votre tranquillité ".
Il était debout au milieu de la pièce.   Il était immense
et très mince.   En levant le bras il eût touché les
solives.

Sa tête était légèrement penchée en avant, comme
si le cou n'eût pas été planté sur les épaules, mais à
la naissance de la poitrine.   Il n'était pas voûté mais
cela faisait comme s'il l'était.   Ses hanches et ses
épaules étroites étaient impressionnantes.   Le visage
était beau.   Viril et marqué de deux grandes dépressions le long des joues.   On ne voyait pas les yeux,
que cachait l'ombre portée de l'arcade.   Ils me
parurent clairs.   Les cheveux étaient blonds et

souples, jetés en arrière, brillant soyeusement sous
la lumière du lustre.

Le silence se prolongeait. Il devenait de plus en
plus épais, comme le brouillard du matin. Épais et
immobile. L'immobilité de ma nièce, la mienne
aussi sans doute, alourdissaient ce silence, le rendait
de plomb. L'officier lui-même, désorienté, restait
immobile, jusqu'à ce qu'enfin je visse naître un
sourire sur ses lèvres. Son sourire était grave et
sans nulle trace d'ironie. Il ébaucha un geste de la
main, dont la signification m'échappa. Ses yeux se
posèrent sur ma nièce, toujours raide et droite, et je
pus regarder moi-même à loisir le profil puissant, le
nez proéminent et mince. Je voyais, entre les lèvres
mi-jointes, briller une dent d'or. Il détourna enfin
les yeux et regarda le feu dans la cheminée et dit :
" J'éprouve un grand estime pour les personnes qui
aiment leur patrie ", et il leva brusquement la tête et
fixa l'ange sculpté au-dessus de la fenêtre. " Je
pourrais maintenant monter à ma chambre ", dit-il.
" Mais je ne connais pas le chemin ". Ma nièce ouvrit
la porte qui donne sur le petit escalier et commença
de gravir les marches, sans un regard pour l'officier,
comme si elle eût été seule. L'officier la suivit. Je
vis alors qu'il avait une jambe raide.

Je les entendis traverser l'antichambre, les pas de
l'Allemand résonnèrent dans le couloir, alternative-

ment forts et faibles, une porte s'ouvrit, puis se referma. Ma nièce revint. Elle reprit sa tasse et
continua de boire son café. J'allumai une pipe.
Nous restâmes silencieux quelques minutes. Je dis :
"Dieu merci, il a l'air convenable". Ma nièce
haussa les épaules. Elle attira sur ses genoux ma
veste de velours et termina la pièce invisible qu'elle
avait commencé d'y coudre.

III

Le lendemain matin l'officier descendit quand nous prenions notre petit déjeuner dans la cuisine. Un autre escalier y mène et je ne sais si l'Allemand nous avait entendus ou si ce fut par hasard qu'il prit ce chemin. Il s'arrêta sur le seuil et dit: "J'ai passé une très bonne nuit. Je voudrais que la vôtre était aussi bonne ". Il regardait la vaste pièce en souriant. Comme nous avions peu de bois et moins encore de charbon, je l'avais repeinte, nous y avions amené quelques meubles, des cuivres et des assiettes anciennes, afin d'y confiner notre vie pendant l'hiver. Il examinait cela et l'on voyait luire le bord de ses dents très blanches. Je vis que ses yeux n'étaient pas bleus comme je l'avais cru, mais dorés. Enfin il traversa la pièce et ouvrit la porte sur le jardin. Il fit deux pas et se retourna pour regarder notre longue maison basse, couverte de treilles, aux vieilles tuiles brunes. Son sourire s'ouvrit largement.

"Votre vieux maire m'avait dit que je logerais au château ", dit-il en désignant d'un revers de main la prétentieuse bâtisse que les arbres dénudés laissaient apercevoir, un peu plus haut sur le coteau.

" Je féliciterai mes hommes qu'ils se sont trompés.
Ici c'est un beaucoup plus beau château ".

Puis il referma la porte, nous salua à travers les
vitres, et partit.

Il revint le soir à la même heure que la veille.
Nous prenions notre café. Il frappa mais n'attendit
pas que ma nièce lui ouvrît. Il ouvrit lui-même.
" Je crains que je vous dérange ", dit-il. " Si vous
le préférez, je passerai par la cuisine : alors vous
fermerez cette porte à clef ". Il traversa la pièce, et
resta un moment la main sur la poignée, regardant
les divers coins du fumoir. Enfin il eut une petite
inclinaison du buste : " Je vous souhaite une bonne
nuit ", et il sortit.

Nous ne fermâmes jamais la porte à clef. Je ne
suis pas sûr que les raisons de cette abstention fus-
sent très claires ni très pures. D'un accord tacite
nous avions décidé, ma nièce et moi, de ne rien
changer à notre vie, fût-ce le moindre détail : comme
si l'officier n'existait pas ; comme s'il eût été un
fantôme. Mais il se peut qu'un autre sentiment se
mêlât dans mon cœur à cette volonté : je ne puis
sans souffrir offenser un homme, fût-il mon ennemi.

Pendant longtemps, — plus d'un mois, — la même
scène se répéta chaque jour. L'officier frappait et
entrait. Il prononçait quelques mots sur le temps,
la température, ou quelqu'autre sujet de même im-

portance : leur commune propriété étant qu'ils ne
supposaient pas de réponse. Il s'attardait toujours
un peu au seuil de la petite porte. Il regardait
autour de lui. Un très léger sourire traduisait le
plaisir qu'il semblait prendre à cet examen, — le
même examen chaque jour et le même plaisir. Ses
yeux s'attardaient sur le profil incliné de ma nièce,
immanquablement sévère et insensible, et quand
enfin il en détournait son regard j'étais sûr d'y
pouvoir lire une sorte d'approbation souriante.
Puis il disait en s'inclinant : " Je vous souhaite une
bonne nuit ", et il sortait.

Les choses changèrent brusquement un soir. Il
tombait au dehors une neige fine mêlée de pluie,
terriblement glaciale et mouillante. Je faisais brûler
dans l'âtre des bûches épaisses que je conservais pour
ces jours-là. Malgré moi j'imaginais l'officier, dehors, l'aspect saupoudré qu'il aurait en entrant.
Mais il ne vint pas. L'heure était largement passée
de sa venue et je m'agaçais de reconnaître qu'il
occupait ma pensée. Ma nièce tricotait lentement,
d'un air très appliqué.

Enfin des pas se firent entendre. Mais ils venaient
de l'intérieur de la maison. Je reconnus, à leur bruit
inégal, la démarche de l'officier. Je compris qu'il
était entré par l'autre porte, qu'il venait de sa
chambre. Sans doute n'avait-il pas voulu paraître à

nos yeux sous un uniforme trempé et sans prestige :
il s'était d'abord changé.

Les pas, — un fort, un faible, — descendirent
l'escalier. La porte s'ouvrit et l'officier parut. Il
était en civil. Le pantalon était d'épaisse flanelle
grise, la veste de tweed bleu acier enchevêtré de
mailles d'un brun chaud. Elle était large et ample,
et tombait avec un négligé plein d'élégance. Sous
la veste, un chandail de grosse laine écrue moulait le
torse mince et musclé.

"Pardonnez-moi", dit-il. "Je n'ai pas chaud.
J'étais très mouillé et ma chambre est très froide.
Je me chaufferai quelques minutes à votre feu".

Il s'accroupit avec difficulté devant l'âtre, tendit
les mains. Il les tournait et les retournait. Il disait :
"Bien !... Bien !..." Il pivota et présenta son
dos à la flamme, toujours accroupi et tenant un
genou dans ses bras.

"Ce n'est rien ici", dit-il. "L'hiver en France
est une douce saison. Chez moi c'est bien dur. Très.
Les arbres sont des sapins, des forêts serrées, la neige
est lourde là-dessus. Ici les arbres sont fins. La
neige dessus c'est une dentelle. Chez moi on pense
à un taureau, trapu et puissant, qui a besoin de sa
force pour vivre. Ici c'est l'esprit, la pensée subtile
et poétique".

Sa voix était assez sourde, très peu timbrée.

L'accent était léger, marqué seulement sur les consonnes dures. L'ensemble ressemblait à un bourdonnement plutôt chantant.

Il se leva. Il appuya l'avant-bras sur le linteau de la haute cheminée, et son front sur le dos de sa main. Il était si grand qu'il devait se courber un peu, moi je ne me cognerais pas même le sommet de la tête.

Il demeura sans bouger assez longtemps, sans bouger et sans parler. Ma nièce tricotait avec une vivacité mécanique. Elle ne jeta pas les yeux sur lui, pas une fois. Moi je fumais, à demi allongé dans mon grand fauteuil douillet. Je pensais que la pesanteur de notre silence ne pourrait pas être secouée. Que l'homme allait nous saluer et partir.

Mais le bourdonnement sourd et chantant s'éleva de nouveau, on ne peut dire qu'il rompit le silence, ce fut plutôt comme s'il en était né.

" J'aimai toujours la France ", dit l'officier sans bouger. " Toujours. J'étais un enfant à l'autre guerre et ce que je pensais alors ne compte pas. Mais depuis je l'aimai toujours. Seulement c'était de loin. Comme la Princesse Lointaine ". Il fit une pause avant de dire gravement : " A cause de mon père ".

Il se retourna et, les mains dans les poches de sa veste, s'appuya le long du jambage. Sa tête cognait un peu sur la console. De temps en temps il s'y frottait lentement l'occipital, d'un mouvement

naturel de cerf.   Un fauteuil était là offert, tout près.
Il ne s'y assit pas.   Jusqu'au dernier jour il ne s'assit
jamais.   Nous ne le lui offrîmes pas et il ne fit rien,
jamais, qui pût passer pour de la familiarité.

Il répéta :

« A cause de mon père.   Il était un grand pat-
riote.   La défaite a été une violente douleur.   Pourtant il aima la France. Il aima Briand, il croyait dans
la République de Weimar et dans Briand.   Il était
très enthousiaste.   Il disait : 'Il va nous unir,
comme mari et femme'.   Il pensait que le soleil
allait enfin se lever sur l'Europe... »

En parlant il regardait ma nièce.   Il ne la regardait
pas comme un homme regarde une femme, mais
comme il regarde une statue.   Et, en fait, c'était bien
une statue.   Une statue animée, mais une statue.

« ...Mais Briand fut vaincu.   Mon père vit que
la France était encore menée par vos Grands Bour-
geois cruels, — les gens comme vos de Wendel, vos
Henry Bordeaux et votre vieux Maréchal. Il me dit :
'Tu ne devras jamais aller en France avant d'y
pouvoir entrer botté et casqué'.   Je dus le pro-
mettre, car il était près de la mort.   Au moment de
la guerre je connaissais toute l'Europe, sauf la
France ».

Il sourit et dit, comme si cela avait été une explica-
tion :

" Je suis musicien ".

Une bûche s'effondra, des braises roulèrent hors
du foyer. L'Allemand se pencha, ramassa les braises
avec des pincettes. Il poursuivit :

" Je ne suis pas exécutant : je compose de la
musique. Cela est toute ma vie et, ainsi, c'est une
drôle de figure pour moi de me voir en homme de
guerre. Pourtant je ne regrette pas cette guerre.
Non. Je crois que de ceci il sortira de grandes
choses... "

Il se redressa, sortit ses mains des poches et les
tint à demi levées :

" Pardonnez-moi : peut-être j'ai pu vous blesser.
Mais ce que je disais, je le pense avec un très bon
cœur : je le pense par amour pour la France. Il
sortira de très grandes choses pour l'Allemagne et
pour la France. Je pense, après mon père, que le
soleil va luire sur l'Europe ".

Il fit deux pas et inclina le buste. Comme chaque
soir il dit : " Je vous souhaite une bonne nuit ".
Puis il sortit.

Je terminai silencieusement ma pipe. Je toussai
un peu et je dis : " C'est peut-être inhumain de lui
refuser l'obole d'un seul mot ". Ma nièce leva son
visage. Elle haussait très haut les sourcils, sur des
yeux brillants et indignés. Je me sentis presqu'un
peu rougir.

IV

Depuis ce jour ce fut le nouveau mode de ses visites. Nous ne le vîmes plus que rarement en tenue. Il se changeait d'abord et frappait ensuite à notre porte. Était-ce pour nous épargner la vue de l'uniforme ennemi? Ou pour nous le faire oublier, — pour nous habituer à sa personne? Les deux, sans doute. Il frappait, et entrait sans attendre une réponse qu'il savait que nous ne donnerions pas. Il le faisait avec le plus candide naturel, et venait se chauffer au feu, qui était le prétexte constant de sa venue, — un prétexte dont ni lui ni nous n'étions dupes, dont il ne cherchait pas même à cacher le caractère commodément conventionnel.

Il ne venait pas absolument chaque soir, mais je ne me souviens pas d'un seul où il nous quittât sans avoir parlé. Il se penchait sur le feu et, tandis qu'il offrait à la chaleur de la flamme quelque partie de lui-même, sa voix bourdonnante s'élevait doucement, et ce fut au long de ces soirées, sur les sujets qui habitaient son cœur,—son pays, la musique, la France, — un interminable monologue ; car pas une fois il ne tenta d'obtenir de nous une réponse, un acquiescement, ou même un regard. Il ne parlait

pas longtemps, — jamais beaucoup plus longtemps
que le premier soir.   Il prononçait quelques phrases,
parfois brisées de silences, parfois s'enchaînant avec
la continuité monotone d'une prière ; quelquefois
immobile contre la cheminée, comme une cariatide,
quelquefois s'approchant, sans s'interrompre, d'un
objet, d'un dessin au mur.   Puis il se taisait, il
s'inclinait, et nous souhaitait une bonne nuit.

Il dit une fois (c'était dans les premiers temps de
ses visites) :

"Où est la différence entre un feu de chez moi
et celui-ci?   Bien sûr le bois, la flamme, la cheminée
se ressemblent.   Mais non la lumière.   Celle-ci
dépend des objets qu'elle éclaire, — des habitants
de ce fumoir, des meubles, des murs, des livres sur
les rayons...

"Pourquoi aimé-je tant cette pièce?" dit-il pensivement.   "Elle n'est pas si belle, — pardonnez-
moi!... "   Il rit : " Je veux dire : ce n'est pas une
pièce de musée...   Vos meubles, on ne dit pas : voilà
des merveilles...   Non...   Mais cette pièce a une
âme.   Toute cette maison a une âme."

Il était devant les rayons de la bibliothèque.   Ses
doigts suivaient les reliures, d'une caresse légère.

" ... Balzac, Barrès, Baudelaire, Beaumarchais,
Boileau, Buffon...   Chateaubriand, Corneille, Des-
cartes, Fénelon, Flaubert...   La Fontaine, France,

Gautier, Hugo... Quel appel! " dit-il avec un rire
léger et hochant la tête. " Et je n'en suis qu'à la
lettre H!... Ni Molière, ni Rabelais, ni Racine, ni
Pascal, ni Stendhal, ni Voltaire, ni Montaigne, ni
tous les autres!... " Il continuait de glisser lentement le long des livres, et de temps en temps il laissait échapper un imperceptible " Ha! ", quand, je
suppose, il lisait un nom auquel il ne songeait pas.
"Les Anglais ", reprit-il, " on pense aussitôt : Shake-
speare. Les Italiens : Dante. L'Espagne : Cer-
vantes. Et nous, tout de suite : Gœthe. Après, il
faut chercher. Mais si on dit : et la France? Alors,
qui surgit à l'instant? Molière? Racine? Hugo?
Voltaire? Rabelais? ou quel autre? Ils se pressent,
ils sont comme une foule à l'entrée d'un théâtre, on
ne sait pas qui faire entrer d'abord ".

Il se retourna et dit gravement :

— Mais pour la musique, alors c'est chez nous :
Bach, Haendel, Beethoven, Wagner, Mozart...
quel nom vient le premier?

" Et nous nous sommes fait la guerre! " dit-il
lentement en remuant la tête. Il revint à la cheminée
et ses yeux souriants se posèrent sur le profil de
ma nièce. " Mais c'est la dernière! Nous ne nous
battrons plus : nous nous marierons! " Ses paupières se plissèrent, les dépressions sous les pommettes se marquèrent de deux longues fossettes, les

dents blanches apparurent. Il dit gaiement : " Oui, oui! " Un petit hochement de tête répéta l'affirmation. " Quand nous sommes entrés à Saintes," poursuivit-il après un silence, " j'étais heureux que la population nous recevait bien. J'étais très heureux. Je pensais : Ce sera facile. Et puis, j'ai vu que ce n'était pas cela du tout, que c'était la lâcheté." Il était devenu grave. " J'ai méprisé ces gens. Et j'ai craint pour la France. Je pensais : Est-elle *vraiment* devenue ainsi? " Il secoua la tête : " Non! Non! Je l'ai vue ensuite ; et maintenant, je suis heureux de son visage sévère ".

Son regard se porta sur le mien — que je détournai, — il s'attarda un peu en divers points de la pièce, puis retourna sur le visage, impitoyablement insensible, qu'il avait quitté.

" Je suis heureux d'avoir trouvé ici un vieil homme digne. Et une demoiselle silencieuse. Il faudra vaincre ce silence. Il faudra vaincre le silence de la France. Cela me plaît ".

Il regardait ma nièce, le pur profil têtu et fermé, en silence et avec une insistance grave, où flottaient encore pourtant les restes d'un sourire. Ma nièce le sentait. Je la voyais légèrement rougir, un pli peu à peu s'inscrire entre ses sourcils. Ses doigts tiraient un peu trop vivement, trop sèchement sur l'aiguille, au risque de rompre le fil.

" Oui ", reprit la lente voix bourdonnante, " c'est mieux ainsi. Beaucoup mieux. Cela fait des unions solides, — des unions où chacun gagne de la grandeur... Il y a un très joli conte pour les enfants, que j'ai lu, que vous avez lu, que tout le monde a lu. Je ne sais si le titre est le même dans les deux pays. Chez moi il s'appelle : *Das Tier und die Schöne*, — la Belle et la Bête. Pauvre Belle! La Bête la tient à merci, — impuissante et prisonnière, — elle lui impose à toute heure du jour son implacable et pesante présence... La Belle est fière, digne, — elle s'est faite dure... Mais la Bête vaut mieux qu'elle ne semble. Oh, elle n'est pas très dégrossie! Elle est maladroite, brutale, elle paraît bien rustre auprès de la Belle si fine!... Mais elle a du cœur, oui, elle a une âme qui aspire à s'élever. Si la Belle voulait!... La Belle met longtemps à vouloir. Pourtant, peu à peu, elle découvre au fond des yeux du geôlier haï une lueur, — un reflet où peut se lire la prière et l'amour. Elle sent moins la patte pesante, moins les chaînes de sa prison... Elle cesse de haïr, cette constance la touche, elle tend la main... Aussitôt la Bête se transforme, le sortilège qui la maintenait dans ce pelage barbare est dissipé : c'est maintenant un chevalier très beau et très pur, délicat et cultivé, que chaque baiser de la Belle pare de qualités toujours plus rayonnantes...

Leur union détermine un bonheur sublime. Leurs enfants, qui additionnent et mêlent les dons de leurs parents, sont les plus beaux que la terre ait portés...

" N'aimiez-vous pas ce conte? Moi je l'aimai toujours. Je le relisais sans cesse. Il me faisait pleurer. J'aimais surtout la Bête, parce que je comprenais sa peine. Encore aujourd'hui, je suis ému quand j'en parle ".

Il se tut, respira avec force, et s'inclina :

" Je vous souhaite une bonne nuit ".

V

Un soir, — j'étais monté dans ma chambre pour y chercher du tabac, — j'entendis s'élever le chant de l'harmonium. On jouait ces " VIIIᵉ Prélude et Fugue" que travaillait ma nièce avant la débâcle. Le cahier était resté ouvert à cette page mais, jusqu'à ce soir-là, ma nièce ne s'était pas résolue à de nouveaux exercices. Qu'elle les eût repris souleva en moi du plaisir et de l'étonnement : quelle nécessité intérieure pouvait bien l'avoir soudain décidée?

Ce n'était pas elle. Elle n'avait pas quitté son fauteuil ni son ouvrage. Son regard vint à la rencontre du mien, m'envoya un message que je ne déchiffrai pas. Je considérai le long buste devant l'instrument, la nuque penchée, les mains longues, fines, nerveuses, dont les doigts se déplaçaient sur les touches comme des individus autonomes.

Il joua seulement le Prélude. Il se leva, rejoignit le feu.

"Rien n'est plus grand que cela," dit-il de sa voix sourde qui ne s'éleva pas beaucoup plus haut qu'un murmure. " Grand?... ce n'est pas même le mot. Hors de l'homme. — hors de sa chair. Cela nous fait comprendre, non : deviner... non : pres-

sentir... pressentir ce qu'est la nature... la nature
divine et inconnaissable... la nature... désinvestie...
de l'âme humaine. Oui : c'est une musique inhumaine ".

Il parut, dans un silence songeur, explorer sa
propre pensée. Il se mordillait lentement une
lèvre.

" Bach... Il ne pouvait être qu'allemand.
Notre terre a ce caractère : ce caractère inhumain.
Je veux dire : pas à la mesure de l'homme."

Un silence, puis :

" Cette musique-là, je l'aime, je l'admire, elle me
comble, elle est en moi comme la présence de Dieu,
mais... Mais ce n'est pas la mienne.

" Je veux faire, moi, une musique à la mesure de
l'homme : cela aussi est un chemin pour atteindre
la vérité. C'est *mon* chemin. Je n'en voudrais, je
n'en pourrais suivre un autre. Cela, maintenant, je
le sais. Je le sais tout à fait. Depuis quand?
Depuis que je vis ici ".

Il nous tourna le dos. Il appuya ses mains au
linteau, s'y retint par les doigts et offrit son visage à
la flamme entre ses avant-bras, comme à travers les
barreaux d'une grille. Sa voix se fit plus sourde et
plus bourdonnante :

" Maintenant j'ai besoin de la France. Mais je
demande beaucoup : je demande qu'elle m'accueille.

Ce n'est rien, être chez elle comme un étranger, —
un voyageur ou un conquérant. Elle ne donne rien
alors, — car on ne peut rien lui prendre. Sa
richesse, sa haute richesse, on ne peut la conquérir.
Il faut la boire à son sein, il faut qu'elle vous offre
son sein dans un mouvement et un sentiment
maternels... Je sais bien que cela dépend de nous...
Mais cela dépend d'elle aussi. Il faut qu'elle
accepte de comprendre notre soif, et qu'elle accepte
de l'étancher... qu'elle accepte de s'unir à nous ".

Il se redressa, sans cesser de nous tourner le dos,
les doigts toujours accrochés à la pierre.

"Moi", dit-il un peu plus haut, "il faudra que
je vive ici, longtemps. Dans une maison pareille
à celle-ci. Comme le fils d'un village pareil à ce
village... Il faudra..."

Il se tut. Il se tourna vers nous. Sa bouche
souriait, mais non ses yeux qui regardaient ma nièce.

"Les obstacles seront surmontés ", dit-il.   "La
sincérité toujours surmonte les obstacles.

" Je vous souhaite une bonne nuit ".

VI

Je ne puis me rappeler, aujourd'hui, tout ce qui fut dit au cours de plus de cent soirées d'hiver. Mais le thème n'en variait guère. C'était la longue rapsodie de sa découverte de la France : l'amour qu'il en avait de loin, avant de la connaître, et l'amour grandissant chaque jour qu'il éprouvait depuis qu'il avait le bonheur d'y vivre. Et, ma foi, je l'admirais. Oui : qu'il ne se décourageât pas. Et que jamais il ne fût tenté de secouer cet implacable silence par quelque violence de langage... Au contraire, quand parfois il laissait ce silence envahir la pièce et la saturer jusqu'au fond des angles comme un gaz pesant et irrespirable, il semblait bien être celui de nous trois qui s'y trouvait le plus à l'aise. Alors il regardait ma nièce, avec cette expression d'approbation à la fois souriante et grave qui avait été la sienne dès le premier jour. Et moi je sentais l'âme de ma nièce s'agiter dans cette prison qu'elle avait elle-même construite, je le voyais à bien des signes dont le moindre était un léger tremblement des doigts. Et quand enfin Werner von Ebrennac dissipait ce silence doucement et sans heurt par le filtre de sa bourdonnante voix, il semblait qu'il me permît de respirer plus librement.

Il parlait de lui, souvent :

" Ma maison dans la forêt, j'y suis né, j'allais à l'école du village, de l'autre côté ; je ne l'ai jamais quittée, jusqu'à ce que j'étais à Munich, pour les examens, et à Salzbourg, pour la musique. Depuis, j'ai toujours vécu là-bas. Je n'aimais pas les grandes villes. J'ai connu Londres, Vienne, Rome, Varsovie, les villes allemandes naturellement. Je n'aime pas pour vivre. J'aimais seulement beaucoup Prague, — aucune autre ville n'a autant d'âme. Et surtout Nuremberg. Pour un Allemand, c'est la ville qui dilate son cœur, parce qu'il retrouve là les fantômes chers à son cœur, le souvenir dans chaque pierre de ceux qui firent la noblesse de la vieille Allemagne. Je crois que les Français doivent éprouver la même chose, devant la cathédrale de Chartres. Ils doivent aussi sentir tout contre eux la présence des ancêtres, — la grâce de leur âme, la grandeur de leur foi, et leur gentillesse. Le destin m'a conduit sur Chartres. Oh! vraiment, quand elle apparaît, par-dessus les blés murs, toute bleue de lointain et transparente, immatérielle, c'est une grande émotion! J'imaginais les sentiments de ceux qui venaient jadis à elle, à pied, à cheval ou sur des chariots... Je partageais ces sentiments et j'aimais ces gens, et comme je voudrais être leur frère! "

Son visage s'assombrit :

" Cela est dur à entendre sans doute d'un homme qui venait sur Chartres dans une grande voiture blindée... Mais pourtant c'est vrai. Tant de choses remuent ensemble dans l'âme d'un Allemand, même le meilleur! Et dont il aimerait tant qu'on le guérisse... " Il sourit de nouveau, un très léger sourire qui graduellement éclaira tout le visage, puis :

" Il y a dans le château voisin de chez nous une jeune fille... Elle est très belle et très douce. Mon père toujours se réjouissait si je l'épouserais. Quand il est mort nous étions presque fiancés, on nous permettait de faire de grandes promenades, tous les deux seuls ".

Il attendit, pour continuer, que ma nièce eût enfilé de nouveau le fil, qu'elle venait de casser. Elle le faisait avec une grande application, mais le chas était très petit et ce fut difficile. Enfin elle y parvint.

" Un jour ", reprit-il, " nous étions dans la forêt. Les lapins, les écureuils filaient devant nous. Il y avait toutes sortes de fleurs, — des jonquilles, des jacinthes sauvages, des amaryllis... La jeune fille s'exclamait de joie. Elle dit : ' Je suis heureuse, Werner. J'aime, oh! j'aime ces présents de Dieu! ' J'étais heureux, moi aussi. Nous nous allongeâmes sur la mousse, au milieu des fougères. Nous ne parlions pas. Nous regardions au-dessus de nous

les cîmes des sapins se balancer, les oiseaux voler de
branche en branche. La jeune fille poussa un petit
cri : ' Oh! il m'a piquée sur le menton! Sale petite
bête, vilain petit moustique! ' Puis je lui vis faire
un geste vif de la main. ' J'en ai attrapé un, Werner! Oh! regardez, je vais le punir : Je lui —
arrache — les pattes — l'une — après — l'autre... '
et elle le faisait... *les*

"Heureusement", continua-t-il, "elle avait beaucoup d'autres prétendants. Je n'eus pas de remords.
Mais aussi j'étais effrayé pour toujours à l'égard des
jeunes filles allemandes."

Il regarda pensivement l'intérieur de ses mains et
dit :

"Ainsi sont aussi chez nous les hommes politiques. C'est pourquoi je n'ai jamais voulu m'unir
à eux, malgré mes camarades qui m'écrivaient :
' Venez nous rejoindre '. Non : je préférai rester
toujours dans ma maison. Ce n'était pas bon pour
le succès de la musique, mais tant pis : le succès est
peu de chose, auprès d'une conscience en repos.
Et, vraiment, je sais bien que mes amis et notre
Führer ont les plus grandes et les plus nobles idées.
Mais je sais aussi qu'ils arracheraient aux moustiques
les pattes l'une après l'autre. C'est cela qui arrive
aux Allemands toujours quand ils sont très seuls :
cela remonte toujours. Et qui de plus ' seuls ' que

les hommes du même Parti, quand ils sont les
maîtres?

" Heureusement maintenant ils ne sont plus seuls:
ils sont en France. La France les guérira. Et je
vais vous le dire : ils le savent. Ils savent que la
France leur apprendra à être des hommes vraiment
grands et purs."

Il se dirigea vers la porte. Il dit d'une voix
retenue, comme pour lui-même :

" Mais pour cela il faut l'amour ".

Il tint un moment la porte ouverte ; le visage
tourné sur l'épaule, il regardait la nuque de ma
nièce penchée sur son ouvrage, la nuque frêle et pâle
d'où les cheveux s'élevaient en torsades de sombre
acajou. Il ajouta, sur un ton de calme résolution :

" Un amour partagé ".

Puis il détourna la tête, et la porte se ferma sur lui
tandis qu'il prononçait d'une voix rapide les mots
quotidiens : " Je vous souhaite une bonne nuit ".

VII

Spring

Les longs jours <u>printaniers</u> arrivaient. L'officier descendait maintenant aux derniers rayons du soleil. Il portait toujours son pantalon de flanelle grise, mais sur le buste une veste plus légère en jersey de laine couleur de bure couvrait une chemise de lin au col ouvert. Il descendit un soir, tenant un livre refermé sur l'index. Son visage s'éclairait de ce demi-sourire contenu, qui préfigure le plaisir escompté d'autrui. Il dit :

" J'ai descendu ceci pour vous. C'est une page de *Macbeth*. Dieux! Quelle grandeur! "

Il ouvrit le livre :

" C'est la fin. La puissance de Macbeth file entre ses doigts, avec l'attachement de ceux qui mesurent enfin la noirceur de son ambition. Les nobles seigneurs qui défendent l'honneur de l'Écosse attendent sa ruine prochaine. L'un d'eux décrit les symptômes dramatiques de cet écroulement... "

Et il lut lentement, avec une pesanteur pathétique: *Sic*

ANGUS. *Maintenant il sent ses crimes secrets <u>coller</u> à ses mains. A chaque minute, des hommes de cœur révoltés lui reprochent sa mauvaise foi. Ceux qu'il commande obéissent à la crainte et non plus à l'amour.*

Désormais il voit son titre pendre autour de lui, flottant comme la robe d'un géant sur le nain qui l'a volée.

Il releva la tête et rit. Je me demandais avec stupeur s'il pensait au même tyran que moi. Mais il dit :

" N'est-ce pas là ce qui doit troubler les nuits de votre Amiral? Je plains cet homme, vraiment, malgré le mépris qu'il m'inspire comme à vous. *Ceux qu'il commande obéissent à la crainte et non plus à l'amour.* Un chef qui n'a pas l'amour des siens est un bien misérable mannequin. Seulement... seulement... pouvait-on souhaiter autre chose? Qui donc, sinon un aussi morne ambitieux, eût accepté ce rôle? Or il le fallait. Oui, il fallait quelqu'un qui acceptât de vendre sa patrie parce que, aujourd'hui, — aujourd'hui et pour longtemps, — la France ne peut tomber volontairement dans nos bras ouverts sans perdre à ses yeux sa propre dignité. Souvent la plus sordide entremetteuse est ainsi à la base de la plus heureuse alliance. L'entremetteuse n'en est pas moins méprisable, ni l'alliance moins heureuse ".

Il fit claquer le livre en le fermant, l'enfonça dans la poche de sa veste et d'un mouvement machinal frappa deux fois cette poche de la paume de la main. Puis, son long visage éclairé d'une expression heureuse, il dit :

" Je dois prévenir mes hôtes que je serai absent

pour deux semaines.   Je me réjouis d'aller à Paris.
C'est maintenant le tour de ma permission et je la
passerai à Paris, pour la première fois.   C'est un
grand jour pour moi.   C'est le plus grand jour, en
attendant un autre que j'espère avec toute mon âme
et qui sera encore un plus grand jour. Je saurai
l'attendre des années, s'il le faut.   Mon cœur a beaucoup de patience.

   " A Paris, je suppose que je verrai mes amis, dont
beaucoup sont présents aux négociations que nous
menons avec vos hommes politiques, pour préparer
la merveilleuse union de nos deux peuples.   Ainsi je
serai un peu le témoin de ce mariage...   Je veux

vous dire que je me réjouis pour la France, dont les
blessures de cette façon cicatriseront très vite, mais
je me réjouis bien plus encore pour l'Allemagne et
pour moi-même! Jamais personne n'aura profité de
sa bonne action, autant que fera l'Allemagne en
rendant sa grandeur à la France et sa liberté!

   " Je vous souhaite une bonne nuit."

VIII

Eteignons cette lumière, pour ensuite
éteindre celle de sa vie.

OTHELLO.

Nous ne le vîmes pas quand il revint.

Nous le savions là, parce que la présence d'un hôte dans une maison se révèle par bien des signes, même lorsqu'il reste invisible. Mais pendant de nombreux jours, — beaucoup plus d'une semaine, — nous ne le vîmes pas.

L'avouerai-je? Cette absence ne me laissait pas l'esprit en repos. Je pensais à lui, je ne sais pas jusqu'à quel point je n'éprouvais pas du regret, de l'inquiétude. Ni ma nièce ni moi nous n'en parlâmes. Mais lorsque parfois le soir nous entendions là-haut résonner sourdement les pas inégaux, je voyais bien, à l'application têtue qu'elle mettait soudain à son ouvrage, à quelques lignes légères qui marquaient son visage d'une expression à la fois butée et attentive, qu'elle non plus n'était pas exempte de pensées pareilles aux miennes.

Un jour je dus aller à la Kommandantur, pour une quelconque déclaration de pneus. Tandis que je remplissais le formulaire qu'on m'avait tendu,

Werner von Ebrennac sortit de son bureau. Il ne
me vit pas tout d'abord. Il parlait au sergent, assis
à une petite table devant un haut miroir au mur.
J'entendais sa voix sourde aux inflexions chantantes
et je restais là, bien que je n'eusse plus rien à y faire,
sans savoir pourquoi, curieusement ému, attendant
je ne sais quel dénouement. Je voyais son visage
dans la glace, il me paraissait pâle et tiré. Ses yeux
se levèrent, ils tombèrent sur les miens, pendant
deux secondes nous nous regardâmes, et brusquement il pivota sur ses talons et me fit face. Ses
lèvres s'entr'ouvrirent et avec lenteur il leva légèrement une main, que presqu'aussitôt il laissa retomber. Il secoua imperceptiblement la tête avec
une irrésolution pathétique, comme s'il se fût dit :
non, à lui-même, sans pourtant me quitter des yeux.
Puis il esquissa une inclinaison du buste en laissant
glisser son regard à terre, et il regagna en clochant
son bureau, où il s'enferma.

De cela je ne dis rien à ma nièce. Mais les femmes
ont une divination de félin. Tout au long de la
soirée elle ne cessa de lever les yeux de son ouvrage,
à chaque minute, pour les porter sur moi ; pour
tenter de lire quelque chose sur un visage que je
m'efforçais de tenir impassible, tirant sur ma pipe
avec application. A la fin, elle laissa tomber ses
mains, comme fatiguée, et, pliant l'étoffe, me de-

manda la permission de s'aller coucher de bonne heure. Elle passait deux doigts lentement sur son front comme pour chasser une migraine. Elle m'embrassa et il me sembla lire dans ses beaux yeux gris un reproche et une assez pesante tristesse. Après son départ je me sentis soulevé par une absurde colère : la colère d'être absurde et d'avoir une nièce absurde. Qu'est-ce que c'était que toute cette idiotie? Mais je ne pouvais pas me répondre. Si c'était une idiotie, elle semblait bien enracinée.

Ce fut trois jours plus tard que, à peine avions-nous vidé nos tasses, nous entendîmes naître, et cette fois sans conteste approcher, le battement irrégulier des pas familiers. Je me rappelai brusquement ce premier soir d'hiver où ces pas s'étaient fait entendre, six mois plus tôt. Je pensai : " Aujourd'hui aussi il pleut ". Il pleuvait durement depuis le matin. Une pluie régulière et entêtée, qui noyait tout à l'entour et baignait l'intérieur même de la maison d'une atmosphère froide et moite. Ma nièce avait couvert ses épaules d'un carré de soie imprimé où dix mains inquiétantes, dessinées par Jean Cocteau, se désignaient mutuellement avec mollesse ; moi je réchauffais mes doigts sur le fourneau de ma pipe, — et nous étions en juillet!

Les pas traversèrent l'antichambre et commencèrent de faire gémir les marches. L'homme de-

scendait lentement, avec une lenteur sans cesse crois-
sante, mais non pas comme un qui hésite : comme
un dont la volonté subit une exténuante épreuve.
Ma nièce avait levé la tête et elle me regardait, elle
attacha sur moi, pendant tout ce temps, un regard
transparent et inhumain de grand-duc. Et quand la
dernière marche eût crié et qu'un long silence suivit,
le regard de ma nièce s'envola, je vis les paupières
s'alourdir, la tête s'incliner et tout le corps se confier
au dossier du fauteuil avec lassitude.

Je ne crois pas que ce silence ait dépassé quelques
secondes. Mais ce furent de longues secondes. Il
me semblait voir l'homme, derrière la porte, l'index
levé prêt à frapper, et retardant, retardant le moment
où, par le seul geste de frapper, il allait engager
l'avenir... Enfin il frappa. Et ce ne fut ni avec la
légèreté de l'hésitation, ni la brusquerie de la timidité
vaincue, ce furent trois coups pleins et lents, les
coups assurés et calmes d'une décision sans retour.
Je m'attendais à voir comme autrefois la porte
aussitôt s'ouvrir. Mais elle resta close, et alors je
fus envahi par une incoercible agitation d'esprit, où
se mêlait à l'interrogation l'incertitude des désirs
contraires, et que chacune des secondes qui s'écou-
laient, me semblait-il, avec une précipitation crois-
sante de cataracte, ne faisait que rendre plus confuse
et sans issue. Fallait-il répondre? Pourquoi ce

changement? Pourquoi attendait-il que nous rompions ce soir un silence dont il avait montré par son attitude antérieure combien il en approuvait la salutaire ténacité? Quels étaient ce soir, — ce soir, — les commandements de la dignité?

Je regardai ma nièce, pour pêcher dans ses yeux un encouragement ou un signe. Mais je ne trouvai que son profil. Elle regardait le bouton de la porte. Elle le regardait avec cette fixité inhumaine de grand-duc qui m'avait déjà frappé, elle était très pâle et je vis, glissant sur les dents dont apparut une fine ligne blanche, se lever la lèvre supérieure dans une contraction douloureuse ; et moi, devant ce drame intime soudain dévoilé et qui dépassait de si haut le tourment bénin de mes tergiversations, je perdis mes dernières forces. A ce moment deux nouveaux coups furent frappés, — deux seulement, deux coups faibles et rapides, — et ma nièce dit : "Il va partir..." d'une voix basse et si complètement découragée que je n'attendis pas davantage et dis d'une voix claire : " Entrez, Monsieur ".

Pourquoi ajoutai-je : Monsieur? Pour marquer que j'invitais l'homme et non l'officier ennemi? Ou, au contraire, pour montrer que je n'ignorais pas *qui* avait frappé et que c'était bien à celui-là que je m'adressais? Je ne sais. Peu importe. Il subsiste que je dis : " Entrez, Monsieur " ; et qu'il entra.

J'imaginais le voir paraître en civil et il était en uniforme. Je dirais volontiers qu'il était plus que jamais en uniforme, si l'on comprend par là qu'il m'apparut clairement que, cette tenue, il l'avait endossée dans la ferme intention de nous en imposer la vue. Il avait rabattu la porte sur le mur et il se tenait droit dans l'embrasure, si droit et si raide que j'en étais presqu'à douter si j'avais devant moi le même homme et que, pour la première fois, je pris garde à sa ressemblance surprenante avec l'acteur Louis Jouvet. Il resta ainsi quelques secondes droit, raide et silencieux, les pieds légèrement écartés et les bras tombant sans expression le long du corps, et le visage si froid, si parfaitement impassible, qu'il ne semblait pas que le moindre sentiment pût l'habiter.

Mais moi qui étais assis dans mon fauteuil profond et avais le visage à hauteur de sa main gauche, je voyais cette main, mes yeux furent saisis par cette main et y demeurèrent comme enchaînés, à cause du spectacle pathétique qu'elle me donnait et qui démentait pathétiquement toute l'attitude de l'homme...

J'appris ce jour-là qu'une main peut, pour qui sait l'observer, refléter les émotions aussi bien qu'un visage, — aussi bien et mieux qu'un visage car elle échappe davantage au contrôle de la volonté. Et les doigts de cette main-là se tendaient et se pliaient, se pressaient et s'accrochaient, se livraient à la plus intense mimique tandis que le visage et tout le corps demeuraient immobiles et compassés.

Puis les yeux parurent revivre, ils se portèrent un instant sur moi, — il me sembla être guetté par un faucon, — des yeux luisants entre les paupières écartées et raides, les paupières à la fois fripées et raides d'un être tenu par l'insomnie. Ensuite ils se posèrent sur ma nièce, — et ils ne la quittèrent plus.

La main enfin s'immobilisa, tous les doigts repliés et crispés dans la paume, la bouche s'ouvrit (les lèvres en se séparant firent : " Pp... " comme le goulot débouché d'une bouteille vide), et l'officier dit, — sa voix était plus sourde que jamais :

" Je dois vous adresser des paroles graves ".

Ma nièce lui faisait face mais elle baissait la tête. Elle enroulait autour de ses doigts la laine d'une pelote, tandis que la pelote se défaisait en roulant sur le tapis ; ce travail absurde était le seul sans doute qui pût encore s'accorder à son attention abolie, — et lui épargner la honte.

L'officier reprit, — l'effort était si visible qu'il semblait que ce fût au prix de sa vie :

" Tout ce que j'ai dit ces six mois, tout ce que les murs de cette pièce ont entendu... " — il respira, avec un effort d'asthmatique, garda un instant la poitrine gonflée... " il faut... " Il respira : " il faut l'oublier ".

La jeune fille lentement laissa tomber ses mains au creux de sa jupe, où elles demeurèrent penchées et inertes comme des barques échouées sur le sable, et lentement elle leva la tête, et alors, pour la première fois, — pour la première fois — elle offrit à l'officier le regard de ses yeux pâles.

Il dit (à peine si je l'entendis) : " *Oh, welch' ein Licht!* ", pas même un murmure ; et comme si en effet ses yeux n'eussent pas pu supporter cette lumière, il les cacha derrière son poignet.   Deux secondes ; puis il laissa retomber sa main, mais il avait baissé les paupières et ce fut à lui désormais de tenir ses regards à terre...

Ses lèvres firent : " Pp... " et il prononça, — la voix était sourde, sourde, sourde :

" J'ai vu ces hommes victorieux ".

Puis, après quelques secondes, d'une voix plus basse encore :

" Je leur ai parlé."   Et enfin dans un murmure, avec une lenteur amère :

" Ils ont ri de moi ".

Il leva les yeux sur ma personne et avec gravité hocha trois fois imperceptiblement la tête.   Les yeux se fermèrent, puis :

" Ils ont dit : ' Vous n'avez pas compris que nous les bernons? ' Ils ont dit cela.   Exactement. *Wir prellen sie.* Ils ont dit : ' Vous ne supposez pas

que nous allons sottement laisser la France se relever
à notre frontière?   Non?'   Ils rirent très fort.   Ils
me frappaient joyeusement le dos en regardant ma
figure : ' Nous ne sommes pas des musiciens! ' "

Sa voix marquait, en prononçant ces derniers
mots, un obscur mépris, dont je ne sais s'il reflétait
ses propres sentiments à l'égard des autres, ou le ton
même des paroles de ceux-ci.

" Alors j'ai parlé longtemps, avec beaucoup de
véhémence.   Ils faisaient : ' Tst! Tst! '   Ils ont
dit : ' La politique n'est pas un rêve de poète.   Pourquoi supposez-vous que nous avons fait la guerre?
Pour leur vieux Maréchal?'   Ils ont encore ri :
' Nous ne sommes pas des fous ni des niais : nous
avons l'occasion de détruire la France, elle le sera.
Pas seulement sa puissance : son âme aussi.   Son
âme surtout.   Son âme est le plus grand danger.
C'est notre travail en ce moment : ne vous y
trompez pas, mon cher! Nous la pourrirons par nos
sourires et nos ménagements.   Nous en ferons une
chienne rampante ' ".

Il se tut.   Il semblait essoufflé.   Il serrait les
mâchoires avec une telle énergie que je voyais saillir
les pommettes, et une veine, épaisse et tortueuse
comme un ver, battre sous la tempe.   Soudain toute
la peau de son visage remua, dans une sorte de
frémissement souterrain, — comme fait un coup de

brise sur un lac ; comme, aux premières bulles, la
pellicule de crème durcie à la surface d'un lait qu'on
fait bouillir. Et ses yeux s'accrochèrent aux yeux
pâles et dilatés de ma nièce, et il dit, sur un ton bas,
uniforme, intense et oppressé, avec une lenteur
accablée :

" Il n'y a pas d'espoir ". Et d'une voix plus
sourde encore et plus basse, et plus lente, comme
pour se torturer lui-même de cette intolérable constatation : " Pas d'espoir. Pas d'espoir ". Et soudain, d'une voix inopinément haute et forte, et à
ma surprise claire et timbrée, comme un coup de
clairon, — comme un cri : " Pas d'espoir! "

Ensuite, le silence.

Je crus l'entendre rire. Son front, bourrelé et
fripé, ressemblait à un grelin d'amarre. Ses lèvres
tremblèrent, — des lèvres de malade, à la fois
fiévreuses et pâles.

" Ils m'ont blâmé, avec un peu de colère :
' Vous voyez bien! Vous voyez combien vous
l'aimez! Voilà le grand Péril! Mais nous guérirons
l'Europe de cette peste! Nous la purgerons de ce
poison! ' Ils m'ont tout expliqué, oh! ils ne m'ont
rien laissé ignorer. Ils flattent vos écrivains, mais
en même temps, en Belgique, en Hollande, dans tous
les pays qu'occupent nos troupes ils font déjà le
barrage. Aucun livre français ne peut plus passer,

— sauf les publications techniques, manuels de dioptrique ou formulaires de cémentation... Mais les ouvrages de culture générale, aucun. Rien!"

Son regard passa par-dessus ma tête, volant et se cognant aux coins de la pièce comme un oiseau de nuit égaré. Enfin il sembla trouver refuge sur les rayons les plus sombres, — ceux où s'alignent Racine, Ronsard, Rousseau. Ses yeux restèrent accrochés là et sa voix reprit, avec une violence gémissante :

"Rien, rien, personne!" Et comme si nous n'avions pas compris encore, pas mesuré l'énormité de la menace : "Pas seulement vos modernes! Pas seulement vos Péguy, vos Proust, vos Bergson... Mais tous les autres! Tous ceux-là! Tous! Tous! Tous!"

Son regard encore une fois balaya les reliures doucement luisant dans la pénombre, comme pour une caresse désespérée.

"Ils éteindront la flamme tout à fait!" cria-t-il. "L'Europe ne sera plus éclairée par cette lumière!"

Et sa voix creuse et grave fit vibrer jusqu'au fond de ma poitrine, inattendu et saisissant, le cri dont l'ultime syllabe traîna comme une frémissante plainte :

"Nevermore!"

Le silence tomba une fois de plus. Une fois de

plus mais, cette fois, combien plus obscur et tendu!
Certes, sous les silences d'antan, — comme, sous la
calme surface des eaux, la mêlée des bêtes dans la
mer, — je sentais bien grouiller la vie sous-marine
des sentiments cachés, des désirs et des pensées qui
se nient et qui luttent. Mais sous celui-ci, ah! rien
qu'une affreuse oppression…

La voix enfin brisa ce silence. Elle était douce et
malheureuse.

" J'avais un ami. C'était mon frère. Nous
avions étudié de compagnie. Nous habitions la
même chambre à Stuttgart. Nous avions passé trois
mois ensemble à Nuremberg. Nous ne faisions rien
l'un sans l'autre : je jouais devant lui ma musique ;
il me lisait ses poèmes. Il était sensible et roman-
tique. Mais il me quitta. Il alla lire ses poèmes à
Munich, devant de nouveaux compagnons. C'est
lui qui m'écrivait sans cesse de venir les retrouver.
C'est lui que j'ai vu à Paris avec ses amis. J'ai vu
ce qu'ils ont fait de lui! "

Il remua lentement la tête, comme s'il eût dû op-
poser un refus douloureux à quelque supplication.

" Il était le plus enragé! Il mélangeait la colère
et le rire. Tantôt il me regardait avec flamme et
criait : ' C'est un venin! Il faut vider la bête de
son venin! ' Tantôt il donnait dans mon estomac
des petits coups du bout de son index : ' Ils ont la

grande peur maintenant, ah ah! ils craignent pour
leurs poches et pour leur ventre, — pour leur in-
dustrie et leur commerce! Ils ne pensent qu'à ça!
Les rares autres, nous les flattons et les endormons,
ah ah!... Ce sera facile! ' Il riait et sa figure devenait toute rose : ' Nous échangeons leur âme
contre un plat de lentilles! ' "

Werner respira.

" J'ai dit : ' Avez-vous mesuré ce que vous
faites? L'avez-vous *mesuré*? ' Il a dit : ' Attendez-
vous que cela nous intimide? Notre lucidité est
d'une autre trempe? ' J'ai dit : ' Alors vous scel-
lerez ce tombeau? — à jamais? ' Il a dit : ' C'est
la vie ou la mort. Pour conquérir suffit la Force :
pas pour dominer. Nous savons très bien qu'une
armée n'est rien pour dominer '. — ' Mais au prix
de l'Esprit! ' criai-je. ' Pas à ce prix! ' — ' L'Esprit ne
meurt jamais ', dit-il. ' Il en a vu d'autres. Il renaît
de ses cendres. Nous devons bâtir pour dans mille
ans : d'abord il faut détruire '. Je le regardais. Je
regardais au fond de ses yeux clairs. Il était sincère,
oui. C'est çà le plus terrible. "

Ses yeux s'ouvrirent très grands, — comme sur le
spectacle de quelque abominable meurtre :

" Ils feront ce qu'ils disent! " s'écria-t-il comme
si nous n'avons pas dû le croire. " Avec méthode
et persévérance! Je connais ces diables acharnés! "

D

Il secoua la tête, comme un chien qui souffre d'une oreille. Un murmure passa entre ses dents serrées, le " oh " gémissant et violent de l'amant trahi.

Il n'avait pas bougé. Il était toujours immobile, raide et droit dans l'embrasure de la porte, les bras allongés comme s'ils eussent eu à porter des mains de plomb ; et pâle, — non pas comme de la cire, mais comme le plâtre de certains murs délabrés : gris, avec des taches plus blanches de salpêtre.

Je le vis lentement incliner le buste. Il leva une main. Il la projeta, la paume en dessous, les doigts un peu pliés, vers ma nièce, vers moi. Il la contracta, il l'agita un peu tandis que l'expression de son visage se tendait avec une sorte d'énergie farouche. Ses lèvres s'entr'ouvrirent, et je crus qu'il allait nous lancer je ne sais quelle exhortation : Je crus, — oui, je crus qu'il allait nous encourager à la révolte. Mais pas un mot ne franchit ses lèvres. Sa bouche se ferma, et encore une fois ses yeux. Il se redressa. Ses mains montèrent le long du corps, se livrèrent à la hauteur du visage à un incompréhensible manège, qui ressemblait à certaines figures des danses religieuses de Java. Puis il se prit les tempes et le front, écrasant ses paupières sous les petits doigts allongés.

" Ils m'ont dit : ' C'est notre droit et notre devoir '. Notre devoir !... Heureux celui qui trouve avec une aussi simple certitude la route de son devoir! "

Ses mains retombèrent.

" Au carrefour, on vous dit : ' Prenez cette route-là ' ". Il secoua la tête. " Or, cette route, on ne la voit pas s'élever vers les hauteurs lumineuses des cîmes, on la voit descendre vers une vallée sinistre, s'enfoncer dans les ténèbres fétides d'une lugubre forêt!... O Dieu! Montrez-moi où est *mon* devoir! "

Il dit, — il cria presque :

" C'est le Combat, — la Grande Bataille du Temporel contre le Spirituel! "

Il regardait, avec une fixité lamentable, l'ange de bois sculpté au-dessus de la fenêtre, l'ange extatique et souriant, lumineux de tranquillité céleste.

Soudain son expression sembla se détendre. Le corps perdit de sa raideur. Son visage s'inclina un peu vers le sol. Il le releva :

" J'ai fait valoir mes droits ", dit-il avec naturel. " J'ai demandé à rejoindre une division en campagne. Cette faveur m'a été enfin accordée : demain je suis autorisé à me mettre en route ".

Je crus voir flotter sur ses lèvres un fantôme de sourire quand il précisa :

" Pour l'enfer ".

Son bras se leva vers l'Orient, — vers ces plaines immenses où le blé futur sera nourri de cadavres.

Le visage de ma nièce me fit peine. Il était d'une pâleur lunaire. Les lèvres, pareilles aux bords d'un vase d'opaline, étaient disjointes, elles esquissaient la moue tragique des masques grecs. Et je vis, à la limite du front et de la chevelure, non pas naître, mais jaillir, — oui, jaillir, — des perles de sueur.

Je ne sais si Werner von Ebrennac le vit. Ses pupilles, celles de la jeune fille, amarrées comme, dans le courant, la barque à l'anneau de la rive, semblaient l'être par un fil si tendu, si raide, qu'on n'eût pas osé passer un doigt entre leurs yeux. Ebrennac d'une main avait saisi le bouton de la porte. De l'autre, il tenait le chambranle. Sans bouger son regard d'une ligne, il tira lentement la porte à lui. Il dit, — sa voix était étrangement dénuée d'expression :

" Je vous souhaite une bonne nuit ".

Je crus qu'il allait fermer la porte et partir. Mais non. Il regardait ma nièce. Il la regardait. Il dit, — il murmura :

" Adieu ".

Il ne bougea pas. Il restait tout à fait immobile, et dans son visage immobile et tendu, les yeux étaient plus encore immobiles et tendus, attachés aux yeux, — trop ouverts, trop pâles, — de ma nièce. Cela dura, dura, — combien de temps? — dura jusqu'à ce qu'enfin, enfin la jeune fille remua les lèvres. Les yeux de Werner brillèrent.

J'entendis :

" Adieu ".

Il fallait avoir guetté ce mot pour l'entendre, mais enfin je l'entendis. Von Ebrennac aussi l'entendit, et il se redressa, et son visage et tout son corps semblèrent s'assouplir comme après un bain reposant.

Et il sourit, de sorte que la dernière image que j'eus de lui fut une image souriante. Et la porte se ferma et ses pas s'évanouirent au fond de la maison.

Il était parti quand, le lendemain, je descendis prendre ma tasse de lait matinale. Ma nièce avait préparé le déjeuner, comme chaque jour. Elle me servit en silence. Nous bûmes en silence. Dehors luisait au travers de la brume un pâle soleil. Il me sembla qu'il faisait très froid.

Octobre 1941.

NOTES

Dedication. **Saint-Pol-Roux:** German troops entered the house of this distinguished symbolist poet one night in June 1940. An old servant who tried to protect her master was shot dead in front of him. He fell unconscious, and one of the soldiers then assaulted and wounded his daughter. She managed to crawl into the garden, and was found there next morning by some fishermen, who took the two to hospital, where the poet died.

Page 10. **émigré protestant:** Ebrennac sounds more like a Gascon name than a German one, and the narrator thinks that the officer may belong to a family which fled from France to Germany in the days of religious persecution.

      Cela était, etc. : The officer's French is imperfect, as in " Je voudrais que la vôtre etait aussi bonne " on p. 13, etc. It becomes more correct and fluent later.

Page 17. **La Princesse Lointaine:** the allusion is to a play by Edmond Rostand (1868-1918) based on the story of the troubadour Rudel and the Lady of Tripoli whom he loved from afar.

Page 18. **Briand:** Aristide Briand (1862-1932), eleven times Prime Minister of France. It was Briand, Austen Chamberlain, and Gustav Stresemann who negotiated the Treaty of Locarno (1925), on which high hopes were placed for the future peace of Europe.

      Weimar: After the downfall of William II in 1918, Germany became a Republic. The National Assembly sat at Weimar in Central Germany, and it was there that a new Constitution was proclaimed in August 1919.

Page 18.   **de Wendel :** a powerful French family of iron-masters and bankers.

  Henry Bordeaux : b. 1870.   One of the most prolific and successful of modern French novelists, who also won distinction as a soldier in the first World War.

  vieux Maréchal : Marshal Foch (1851-1929), unrelenting in his hostility towards the Germans.

Page 34.   **Macbeth :** Act V, Scene 2.

Page 35.   **Amiral :** Admiral Darlan, at that time one of the chief men in the Vichy government, and collaborating with the Germans ; assassinated in Algiers, Christmas 1942.

Page 37, heading.   **Othello :** Act V, Scene 2.

  Kommandantur : German headquarters.

Page 39.   **Jean Cocteau :** b. 1889.   Poet, novelist, playwright, critic, artist, perhaps the most conspicuous figure in the artistic and social life of Paris before the war.

Page 41.   **Entrez, Monsieur :** The polite English " Sir " does not convey the effect of the use of " Monsieur " here. The point is that a Frenchman would normally have addressed the officer by his rank.   " Entrez " by itself would have been discourteous.

Page 42.   **Louis Jouvet :** (1887-1951) actor-manager associated with the famous repertory theatre, the Comédie des Champs-Élysées.

Page 44.   **Oh, welch' ein Licht ! :** Oh, what brightness !

  Wir prellen sie : We're humbugging them.

Page 45.   **Maréchal :** the reference here is to Pétain.

Page 47.   **Péguy :** Charles Pierre Péguy (1873-1914), a mystical writer and passionate patriot, killed in the battle of the Marne.

  Proust : Marcel Proust (1871-1922), whose psycho-analytical treatment of the characters in his lengthy series of novels, *A la Recherche du Temps Perdu*, had an enormous influence on European literature after the first World War.

Page 47. **Bergson**: Henri Bergson (1859-1941), celebrated philosopher, author of *Creative Evolution*, *Mind-Energy*, *Laughter*, etc.

    Nevermore !: The word repeated by the Raven in the celebrated poem by Edgar Allan Poe is familiar in France and Germany, where Poe's work has always been greatly admired.

VOCABULARY

(The more familiar words are not included)

un **acajou,** mahogany.
    accabler, overwhelm.
    accroché à, clutching, gripping.
    *s'***accroupir,** to crouch.
    accueillir, to welcome.
    acharné, implacable, relentless.
    adossé à, with one's back against.
    agacer, to irritate, annoy.
    alourdir, to weight, make heavy.
un **anneau,** (mooring-) ring.
    antan (m.), last year.
une **arcade** = **arcade sourcilière,** arch of the brows.
    *s'***assombrir,** to darken, cloud over.
un **atelier,** workshop.
un **âtre,** hearth.
    *s'***attarder,** to linger.
    autonome, self-governing, independent.

    balayer, to sweep.
le **ballot,** bundle.
le **barrage,** dam, barrier.
la **bâtisse,** building.
    bénin, (of a disease) mild.
    berner, to deceive, make a fool of.
la **bibliothèque,** bookcase.
la **blessure,** wound.
    blindé, armoured.
    botté, booted.
le **bourdonnement,** buzz, hum.
    bourrelé, racked, tortured.

la **braise,** ember, live coal.
la **brume,** fog.
la **bûche,** log.
la **bulle,** bubble.
la **bure,** sackcloth.
   buté, obstinate.

le **cahier,** book, usually exercise-book.
la **cantine,** officer's trunk.
la **cariatide,** caryatid, pillar in the shape of a female figure.
le **carreau,** tile.
le **carrefour,** cross-roads.
le **carrier,** quarryman.
la **cémentation,** case-hardening.
le **chambranle,** door-frame.
le **chandail,** sweater.
le **chas,** eye (of a needle).
la **chienne,** bitch.
   cicatriser, to heal up, skin over.
la **cîme,** top, summit.
la **cire,** wax.
le **clairon,** bugle.
   clocher, to limp.
   cogner, to bump.
   coller, to stick.
   combler, to overwhelm.
la **console,** bracket, support of shelf.
la **constatation,** establishment of a fact, realisation.
   contenu, restrained.
   convenable, decent.

   déboucher, to uncork.
   déchiffrer, to decipher.
se **découvrir,** take one's hat off.
   dégrossi, polished.
   dégingandé, gangling, loose-limbed.
   délabré, dilapidated.
   démentir, to belie.

dénué, devoid.
le **déploiement,** display.
désinvestir, to divest.
désorienté, taken aback, at a loss.
se **détendre,** relax.
la **dioptrique,** dioptrics, refraction of light.
douillet, soft, cosy.

ébaucher, to sketch out.
échouer, to run ashore.
*s'*écouler, to flow by.
un **écroulement,** collapse.
écru, unbleached.
un **écureuil,** squirrel.
*s'*effondrer, collapse, fall to pieces.
égarer, to stray.
enchevêtré, interwoven.
endosser, to put on, don.
un **enfer,** hell.
enfiler, to thread (a needle).
enraciné, deeply rooted.
entêté, obstinate, persistent.
une **entremetteuse,** go-between, matchmaker.
éprouver, to feel, experience.
escompter, to count upon.
esquisser, to sketch.
essoufflé, out of breath.
un **établi,** work-bench.
étancher, to quench.
éteindre, extinguish.
*s'*évanouir, to disappear, die away.
exténuer, to exhaust.
extirper, extract.

faire valoir : see **valoir.**
filer, to run away.
la **fossette,** furrow.
la **fougère,** fern.

le **fourneau,** bowl (of a pipe).
  franchir, to cross.
le **frémissement,** shudder.
  friper, to crumple, wrinkle.

  gémir, groan, creak.
le **geôlier,** gaoler.
le **goulot,** neck (of a bottle).
le **grand-duc,** kind of owl.
la **grange,** barn.
le **grelin d'amarre,** mooring-rope.
  grouiller, to swarm.
  guérir, to cure, heal.
  guetter, to watch.

le **heurt,** jolt, jar.

  immanquablement, unfailingly, invariably.
  immatériel, insubstantial, ethereal.
un **imperméable,** waterproof, raincoat.
  impuissant, powerless.
  incoercible, uncontrollable.
  inégal, unequal.
  inopinément, unexpectedly.
  insensible, impassive.
  irrespirable, unbreathable.

la **jacinthe,** hyacinth.
  jadis, formerly.
  jaillir, to gush out.
le **jambage,** jamb, side-piece.

la **lâcheté,** cowardice.
la **lentille,** lentil : **un plat de lentilles** = a mess of pottage.
le **linteau,** mantelshelf.
se **livrer,** abandon oneself (to), indulge (in).
le **lustre,** chandelier.

la **mâchoire,** jaw.
la **maille,** mesh, check.
le **manège,** evolutions, motions.
la **marche,** step, stair.
le **ménagement,** consideration, attention.
le **mépris,** contempt.
la **mollesse,** flabbiness, languor.
　mordiller, to bite, nibble.
　morne, gloomy, dreary.
　mouiller, to soak.

le **nain,** dwarf.
le **niais,** simpleton.
la **nuque,** nape of the neck.

une **obole,** small coin, mite.
un **occipital,** back of the head.
une **ordonnance,** (military) orderly.

　parer, to adorn.
la **paupière,** eyelid.
le **pelage,** skin, hide.
la **pellicule,** film.
la **pelote,** ball of wool.
la **pénombre,** half-light.
la **permission,** (military) leave.
la **pesanteur,** weight.
le **pied : de plain pied,** on the same level.
　pincettes (f. pl.), tongs.
　plisser, to form folds, crinkle.
le **pneu,** tyre.
la **poignée,** handle, door-knob.
la **pommette,** cheekbone.
　préciser, to specify, make more plain.
　pressentir, to sense, feel.
le **prétendant,** suitor.
　prévenir, notify.
　printanier, of spring.

quotidien, daily.

rabattre, push back.
ramper, to crawl, cringe.
la **reliure,** binding.
remonter, to come to the top.
remplir, to fill up.
rustre, boorish, uncouth.

le **sapin,** fir-tree.
saupoudrer, to sprinkle.
sceller, to seal up.
le **sein,** breast.
sensible, sensitive.
serrer, to close, clench.
le **seuil,** threshold, doorway.
sinon, except.
la **solive,** rafter.
le **sortilège,** spell, witchcraft.
la **soupente,** loft.
soyeusement, silkily.
surgir, to spring up.

le **témoin,** witness.
tendu, tense, taut.
la **tenue,** (military) uniform.
la **tergiversation,** change of mind, irresolution.
têtu, stubborn.
timbré, resonant.
le **torpédo,** touring-car.
la **torsade,** coil.
trahir, to betray.
traîner, to drag, drawl.
trapu, sturdy, thick-set.
la **treille,** trellis supporting vines or creepers.
la **trempe,** mettle, temper.
tremper, to soak.

tricoter, to knit.

le **trottoir,** pavement.

le **troufion,** (military slang for **troupier**) trooper.

le **valet d'établi,** clamp (used in woodworking).

valoir: **faire valoir**=to exercise, avail oneself of (one's rights).

le **venin,** venom.

voûté, round-shouldered.